Made in the USA
Monee, IL
19 February 2022

91386108R20085